იყო და არა იყო რა, იყო ერთი ცუგრუმელა გოგონა. ვინც შეხედავდა გული გაუნათდებოდა, მაგრამ გამორჩევით მაინც ბებიას უყვარდა. ერთხელაც ბებიამ წითელი ქუდი აჩუქა. ისე მოუხდა, რომ მას მერე სხვას აღარაფერს იხურავდა და სულ იმ ქუდით დადიოდა, ამიტომაც წითელქუდა შეარქვეს.

ერთ დღეს დედამ წითელქუდას უთხრა:

– ბებია ცოტა შეუძლოდაა, წაუღე ეს ნაზუქი და წამლები და წადიო. თან დაარიგა – ჭკუით იარეო.

ბებია ტყეში ცხოვრობდა.

წითელქუდა ტყეში შესვლისთანავე მგელს გადაეყარა. მან არ იცოდა, რა ბოროტი სულიერიც იყო მგელი და, ამიტომ, არ შეშინებია.

– გამარჯობა, საით გაგიწევია ასე ადრიანადო? – ჰკითხა მგელმა.

– ბებიასთანო, – უთხრა წითელქუდამ.

– სად ცხოვრობს ბებიაშენიო? – ჰკითხა მგელმა.

– აქედან ათი წუთის სავალი იქნებაო, – უპასუხა წითელქუდამ.

მგელს წითელქუდასა და ბებიას შეჭმა მოუნდა. ეშმაკურად მიჰყვებოდა გვერდით და თან ათასი ლამაზი სიტყვით აბრუებდა:

— შეხედე რა ლამაზი ყვავილებია, რატომ არ დატკბები მათი ცქერით? ამ დროს ტყეში ყოფნას რა სჯობიაო.

წითელქუდას ჭკუაში დაუჯდა მგლის სიტყვები და გადაწყვიტა ბებიასთვის ლამაზი თაიგული მიერთმია. გზიდან გადაუხვია და ყვავილების კრეფას შეუდგა.

ამ დროს მგელი პირდაპირ ბებიას სახლისკენ გაქანდა და კარზე მიუკაკუნა.

— რომელი ხარო? — იკითხა ბებიამ.

— მე ვარ წითელქუდა, ნაზუქი და წამლები მოგიტანეო, — უპასუხა მგელმა.

– ურდული ასწიე და კარები გაიღება, მე ვერ ავდგები შეუძლოდ ვარო, – გამოსძახა ბებიამ.

გააღო კარი მგელმა და ბებია თვალის დახამხამებაში გადაყლაპა. მერე ტანზე მისი ტანსაცმელი ჩაიცვა და ლოგინში ჩაწვა.

წითელქუდამ დააკრიფა ყვავილები და ბებიას ქოხისკენ გაეშურა. გაუკვირდა, კარი რომ ღია დახვდა. მივიდა ბებიას საწოლთან და ხედავს, წევს ბებია და თავს საბანში მალავს.

– ვაიმე, ბებია, რატომ გაქვს ასეთი დიდი ყურებიო?

– იმიტომ, რომ უკეთ მოგისმინოო.

– ვაიმე, ბებია, რატომ გაქვს ასეთი დიდი თვალებიო?

– იმიტომ, რომ უკეთ დაგინახოო.

– ვაიმე, ბებია რატომ გაქვს ასეთი დიდი ხელებიო?

– იმიტომ, რომ უკეთ ჩაგიხუტოო.

– ვაიმე, ბებია რატომ გაქვს ასეთი დიდი პირიო?

– იმიტომ, რომ უკეთ გადაგყლაპოო, – წამოხტა მგელი და წითელქუდა გადასანსლა.

მგელი კვლავ ლოგინში ჩაწვა და ხვრინვა ამოუშვა.

ამ დროს ბებიას სახლთან მონადირემ ჩამოიარა და გაიფიქრა:

– როგორ ხროტინებს ეს მოხუცი, ვნახო ერთი რამე ხომ არ უჭირსო.

შევიდა სახლში, დახედა საწოლს და რას ხედავს – ლოგინში მგელი არ ნებივრობს?!

– აი, შე სულწაწყმედილო, სად წაგასწარი, რამდენი ხანია დაგეძებ! – შესძახა გახარებულმა მონადირემ.

მერე გადმოიღო თოფი და ის იყო უნდა ესროლა, რომ უცებ გაიფიქრა:

– ეგება ამ საძაგელმა ბებია გადააყლაპაო და თოფი განზე დადო.

აილო მაკრატელი და მძინარე მგელს მუცელი გაუჭრა. უცებ წითელმა ქუდმა გამოანათა! გაუჭრა კიდევ და წითელქუდა ამოხტა მუცლიდან.

— ვაიმე, რა შიში ვჭამე, როგორ ბნელოდა მგლის მუცელში.

მერე ბებიაც ამოიყვანეს ცოცხალი და უვნებელი, ოღონდ ეგ იყო, სულს ძლივს ითქვამდა. წითელქუდამ დიდრონი ქვები მოარბენინა და მგელს მუცელში ჩააკრეს.

გაიღვიძა მგელმა, წამოხტომა და გაქცევა დააპირა, მაგრამ ქვების სიმძიმემ დასდალა, ჩაიკეცა და სულიც დალია.

ბებიამ შეჭამა წითელქუდას მოტანილი ნაზუქი, დალია წამლები და მაშინვე გამომჯობინდა.

წითელქუდა კი ფიქრობდა:

– სხვა დროს ტყეში მარტო რომ წავალ, ფრთხილად ვიქნები და გზიდან აღარ გადავუხვევო.